KB053452

내게 남은 가을 그리고 겨울

내게 남은
가을 그리고 겨울

이정갑 시집

젼출판

그동안 쉬시 않고 앞만 보고 달려왔다. 그러다 문득 망
망대해를 향해 촘촘히 손질한 그물을 드리우고 온갖 풍파
견뎌낸 긴 세월, 하지만 빈 그물만 건져 올린 어부의 마음
과도 같이 그런 허무한 생각으로 인생의 가을을 맞게 되
어 이제서야 마음속에 아직 남은 또 다른 소망으로 꽃을
피워 열매를 맺을 수 있다는 희망을 걸어보는 건 詩라는
선물이었다.

인생의 모진 겨울 다가오기 전, 낙엽이 아름다운 가을
에, 조금은 덜 성숙된 작품일지라도 결실을 모아 한 권의
시집을 출간하기로 마음먹었다. 때마침 문학의 꽃밭에 해
묵은 쭉정이 꽃씨라도 심을 수 있는 영광스런 기회를 얻
어 어렵사리 발아된 등단의 첫 수확은 문학의 정상으로
오르는 길을 향해 고개를 든다.

그동안 차곡차곡 모아둔 詩 노트를 펼치며 가슴에 물결

치는 환희를 안아본다.

　본 대로 느낌 그대로 눈높이만큼 어쩜 어설프고 볼품없
는 꽃망울 같아 망설이기도 했다. 그러다 인생 삶터에서
七旬에 만난 分身을 소중한 마음으로 남기고 싶어 감히
『내게 남은 가을 그리고 겨울』 시집을 출간하게 되었다.
책장 한 장 한 장 꽃잎으로, 때늦은 가을 꽃봉오리를 부끄
러이 펼쳐보려 한다.

2020년 5월
저자 이정갑

차례

시인의 말   4

1부
自然에서 自然으로의 재구성再構成

봄비 내리던 날   16
산나리 꽃   17
성난 파도   18
두 계절의 꽃   19
사계절四季節   20
아침 이슬   21
먼동   22
블루베리   23
은구슬   24
마니산 추억 마니   25
봄꽃 가을꽃   26
돌풍   28
노을길   30
이상기온異狀氣溫   32

2부
스친 세월歲月

옛이야기   36
널 닮은 나   38
아내의 백발   40
나만의 꽃   42
잠의 침묵沈黙   43
여권 사진   44
설 떡국 나이   48
첫 수강受講   50

3부
움직이는 만물萬物

바다 주름	52
투망投網	54
회춘回春	56
겁 없는 담쟁이	58
기러기 행군行群	60
여름 창가	62
인생은 한 권의 책	63
물이 흐르듯	64
속 빈 대나무	65
화장化粧	66
달처럼 살라 하네	67
가는 해 오는 해	68
동네 목욕탕	69
동그라미	70
가마솥 눈물	71
낙엽의 길	72
어제와 오늘 사이	73
가로등	74
물레방아	76
계절 다툼	78
겨울잠 이야기	79
춘설春雪	80
시시각각時時刻刻	81
균형과 조화	82
머물러 있는 詩	83

4부
채울 수 없는 빈자리

또 다른 이별   86
바늘구멍   88
기다림   89
어미 풀   90
거미줄   91
우리 그런 사랑이었네   92
하ㅡ트   94
특별한 선물   95

5부
손주 사랑 이야기

아기 신발   98
동침同寢   99
첫돌   100
돌잡이 효도孝道   102
행복한 약속   104
할머니가 좋아   106
손자의 할아버지 사랑   108

6부
미완未完의 인생人生

인생길 신호등	110
귀로歸路	111
길동무	112
늘 푸른 마음으로	114
이 세상에 머문 동안	115
달 같은 인생	116
산 까치의 삶	117
행복이란	118
풋사과 같은 내 인생	121
청춘의 꽃	122
다툼	123
그 미소의 의미	124
내 마음의 청소	126
디딤돌 인생길	127
전세 대란	128

7부
사계四季 스케치

春
|

초봄   130
봄 친구   131
봄비   132
진달래꽃   134
봄 손님   136
심술궂은 봄바람   137
봄버들   138
봄이 좋아   139
꽃밭에 솟은 봄   140
5월의 봄   142

夏
|

석양의 행로行路   143
여름 하모니   144
길고 긴 장마   146
여름밤 불청객   148
여름 그곳   149
열대야   150
무르익은 여름   152
얄미운 생각   153
여름 창문   154

秋
|

가을 나그네　　　　　*155*

아기단풍　　　　　　*156*

고추잠자리　　　　　*157*

또 다른 단풍　　　　*158*

만추晚秋　　　　　　*160*

월악산 가을　　　　*162*

冬
|

겨울 연습　　　　　*164*

하얀 비탈길　　　　*165*

하얀 냉동고冷凍庫　　*166*

미친 겨울　　　　　*168*

첫 눈　　　　　　　*170*

서리꽃　　　　　　　*172*

겨울 패딩　　　　　*173*

겨울 그림　　　　　*174*

8부
또래끼리

나의 초교 나의 동창생 · 176
가을 산행 · 178
내 친구 · 180
우리 오래오래 · 181
레일바이크의 잔상 · 182
동창 송년회 · 183
소중한 인연 · 184
소꿉놀이 · 186
하늘공원 · 188
동네 친구 · 190
먼저 가시구려 · 192
꾀복쟁이 친구 · 194

9부
길들여진 일상日常

출근길 아침 · 198
공동 운명체 · 200
두 번의 뜀박질 · 202
하루의 시작 · 203
보신각종 · 204

10부
아직도 젖어 있는 향수鄕愁

하얀 꽃 모자   208
추억의 돌다리   209
올벼 쌀 방아   210
애향愛鄕의 노래   212
내 고향 추석 달   213
고향 집   214

11부
희로애락 표정 도우미

주유소酒有所   216
한 병만 더   218
죽순竹筍   220
늦은 귀갓길   221
숙취熟醉   222
찻잔   223

1부
自然에서 自然으로의 재구성再構成

봄비 내리던 날
산나리 꽃
성난 파도
두 계절의 꽃
사계절四季節
아침이슬
먼동
블루베리
은구슬
마니산 추억 마니
봄꽃 가을꽃
돌풍
노을길
이상기온異狀氣溫

봄비 내리던 날

봄바람이 비구름 흔들면
머금었던 빗물
구름을 뚫고 토닥토닥
양철 지붕 위로 뛰어내린다

미끄럼 타고
굴러 내린 빗방울
처마 끝에
주렁주렁 열리면

빈 구름 사이로 파고든 햇살
방울마다
대낮보다 더 밝은
빛을 토해 담는다

처마 끝에
햇살 파고들어
은방울이 금방울로
알알이 조명을 켠다.

산나리 꽃

펠리컨 부리를 닮았다

긴 꽃봉오리 곱게 펼쳐
목젖 길게 빼고
향기 토해낸
산나리 꽃

늘씬한 몸매
그 어여쁜 얼굴

황금빛 화장에도
감추지 못할 검버섯 주근깨가
부끄러운지

아무도 보지 않은
산골 깊숙이

잎사귀 마디에
새 생명 숨겨 둔 채
외롭게 피다 진 산나리 꽃.

성난 파도

깊고 맑아 더 푸른
동해안 넓은 바다
힘 실어 높이 솟은 하얀 파도들
어디선가 줄줄이
그 무엇 휘감고 거세게 밀려와
갯바위에 방울방울 부숴버리고
미련 없이 돌아선 성난 파도들

그 파도는 정녕
탐욕에 부풀어 솟은
삶의 고통 질긴 굴레이리라
부셔라, 당당하게
끊어라 쉼 없이
그 세월 그 후회 돌이키진 못해도
이 마음 조금 이나마 후련해지도록

2010.12.12(일)
낙산에서 파도를 바라보며

두 계절의 꽃

겨울인 듯하면서도
봄 같은 따스함
봄 같으면서도
겨울 같은 꽃샘추위의 두 계절

그 틈새엔

눈꽃과 봄꽃이 함께 피어
대자연이 하나의 도화지를 펼쳐놓고
꽃 겨울과 꽃 봄을 함께 그려 담는다

겨울은 계절 끝에서
봄은 시작에서
밀고 당기는 대자연
그들만의 세상은 진정 오누이인가.

사계절 四季節

봄여름 가을엔 생화生花가
겨울은 설화雪花가 피니
사계절 모두 꽃이 있어 좋다

아지랑이 봄 따라 노닐다 가고
매미들 여름 노래
음절마다 흥겨울 때쯤

풀벌레 울음소리
가을을 불러내어
비단옷 갈아입혀 이별을 준비한다

가을은
침묵으로 소리 없는 세월을 따라
벌거벗은 겨울 그곳에 머물며

가끔 온 천지에 뿌려 흩날린
그 하―얀 꽃 가면을 써 보곤 한다.

아침 이슬

밤새
꽃잎에 모은
맑고 고운 아침 이슬
또르르
꽃잎 위에 구른다
어여쁜 들꽃
세수시켜
아침잠을 깨우면
들풀도 살며시
꽃님 잠 깨는 소리에
부스스 일어나 기지개 켠다
버거운 아침이슬
털어 내리고
선잠 깨어 뿜어내는
풋풋한 들풀 내음
출근길 따라오며
코끝을 스쳐 간다.

먼동

동쪽 끝
아스라이 닿은
먼 하늘에
오늘 하루를 찬란히 태울
햇살 가득 안은
먼동이

밤이슬에
어둠 씻어 내리고
여명 깔아
이른 아침
해맑은
일출을 준비하며

말랑말랑 농익은
붉은 불꽃 터트리려
닫힌 창문 안
덜 걷힌
희미한 어둠 속을
거침없이 드나든다.

블루베리

햇살 가득히
하늘 뜨거운 칠월
연초록 피부
나날이 검붉게 태워
향기 없는 하―얀 분가루
어여삐 바르고
터질 듯 탱글탱글한
싱그런 외모 블루베리
맛과 영양이 최고인
새콤달콤함 그 속내가 또한
틀림없는
과실 중의 과실임에
방울방울
알알이 왕관을 쓴
블루베리는
영원한 퀸인가 보다!

2014.07.05(토)~06(일)
수남 황산블루베리농장에서

은구슬

이 꽃 저 꽃 활짝
들녘에
어여삐 펼쳐가며
아름다운
꽃동산
꽃가게 문을 연다

홀로 피어
외로워도 화려한
꽃잎에
구를 듯
멈춰 선
진주 닮은 은구슬

방울방울
사랑 담아
햇살에 꿰어
홀로 걷는
들길
허전한 임 목에 걸어주고 싶어라.

마니산 추억 마니

마니산에
기암괴석奇巖怪石 함께 섰고
천사들이 딛고 오른 천사 개의 계단에
정상을 기대고 선 헐떡 계단
그 가파름 함께 어우러지니
그야말로 산 중의 산 명산이로세!

크고 작은 바위들은
참성단에 쌓여 층층이 우뚝 섰고
남은 바윈 능선에 바위 봉을 만들어
등 하산 길 많은 사람
수 세월 디뎌간 디딤돌이 되었네

간간이 힘겨워 지친
길 서툰 등산객 발목을 잡아끌며
굴곡진 언덕 바위
길든 능숙한 솜씨 미끄럼을 태우면
주르륵 흘러내린 흙모래도 덩달아
엉덩방아 간 짓궂은 도우미로 변한다.

2019.5.5.(일)
마니산 1코스 등산/ 3코스 하산

봄꽃 가을꽃

진달래랑 코스모스랑
향기 그리고 그 아름다움이 닮아
봄과 가을에 산에 들에 피어
눈길 발길을 한곳에 모은다

그런데
꽃들은 왜
진달래는 봄만을 좋아하며 봄에만 피고
코스모스는 가을에만 필까?

봄과 가을에 따로 피어
진달래 코스모스는 만남이 없음에
봄엔 봄꽃으로 코스모스가 피든
가을엔 가을꽃으로 진달래가 피든

한 계절에 함께 피어
아름다움을 포개 놓으면
더욱 고우련만

서로는 서로의 계절을 고집固執하며
해마다 어김없이
진달래는 봄
코스모스는 가을에 피고 만다.

돌풍

철판을 뚫을 듯한 빗줄기
기둥을 뽑아 던질 듯한 돌풍은
문풍지 창문을 요란하게 흔들며
새벽길 단잠 깨우는 괴물 되어
노곤한 새벽잠을 깨운다

음침한 그 괴성怪聲에
소름이 돋는다

까만 창밖에선 무언가를 더듬어
사정없이 날리고 부수고 굴리다가 팽개치며
지칠 줄 모르는 돌풍의 심술로
밤새
굉음 공해를 만들어 댄다

혹
삐걱대며 버티는 옆집 세탁소 간판일까?
나란히 서서 버티는 공사장 가림막일까?
행여 20년이 넘은 우리 집 낡은
양철 대문은 아닐는지
밤새 잠을 설치게 하는 돌풍.

2013.11.25.
갑작스런 폭탄 저기압이 형성되어 중부지방 새벽에 시속10Km의
중형 태풍급 강풍

노을길

길게 뻗은 태안 해변 노을 길 따라
무수히 많은 사람이 밟아 부셔놓은
황금빛 고운 모래
산책로 쉼터에 땀 닦고 앉아서
물컵에 한 줌 담아 휘저어
미숫가루인 양 마셔보고 싶네

해안 사구에 하늘을 찌를 듯이 우뚝 솟아
새소리마저 숨죽인 고요한 소나무 숲길엔
파도 소리 갈매기 울음소리만 아련히 스며들고
솔방울 내려와 솔잎 깔고 앉아서
솔 향기 코끝을 건드리며 발길을 붙잡네

방파제에 수북이
파도가 주워 모은 조개껍질
온종일 쉼 없이 다가와
더 하얗게 닦아 더 높이 포개놓고 가고
또다시 다가와 쓰다듬고 돌아가네

꽃지 해변 할미 할아비바위는
매일매일 얼굴 마주 보고 서서
밀 물때마다 둘이 앉아 목욕하고
썰물 땐 외로이 홀로 홀로 좋은
영원한 이별 없어 행복하다네.

2014.11.9.
태안 해변길 5코스 다녀와서

이상기온 異狀氣溫

춘삼월에
더위와 추위를 함께 불러
고온과 저온 줄다리기시키는
이상기온 속셈을 알기나 할까

고온高溫은
나약한 초봄 눈을 가리고
사나흘 무더운 여름 만들어
초록 들녘에 삐쭉 내민
꽃망울을 유혹하더니
이 꽃 저 꽃 아름답게
때 이른 꽃봉오리 펼쳐놓는다

저온低溫은
돌아선 꽃샘추위 불러 세워
한나절 먹구름에 찬바람 실어와
빨─간 꽃잎 위에 하─얀 눈꽃의
아름다운 두 계절을
봄 몰래 살포시 포개 놓는다

때 늦은 겨울은 돌아갈 줄 모르고
때 이른 여름은 기다릴 줄 모른다.

2014. 3.

2부
스친 세월歲月

옛이야기
널 닮은 나
아내의 백발
나만의 꽃
잠의 침묵
여권 사진
설 떡국 나이
첫 수강受講

옛이야기

가혹한 세월의 질긴 포박에
아무런 저항 없이 끌려가다
문득
어머니의 옛이야기 생각나
세월 몰래 힐끔 곁눈질해 돌아보니

20여 년 전 어머니
이 세상 버거운 짐 짊어지고 넘으셨다던
칠십 고개 그 첫 계단을 어느새
지금 내가 짊어지고
힘껏 오르고 있다

한 발 앞엔 누나 앞서서 걷고
한 발 뒤에 줄줄이 동생들 따라와
혹 기다릴지도 모를
따뜻한 어머니 품속을 향해
세월 따라 그곳으로 우리도 향하고 있다.

널 닮은 나

어느 땐가 하나둘씩
귀밑머리 하얗게 세어 가고 있음을
널 보고 놀란 나
그런 날들이 한 순간쯤
살짝 지났을 것 같은 지금은
어느새
이마에 눈가에 잔주름 깊어지고
볼살 늘어뜨려 팔자주름 펼쳐놓은 그 세월에
어쩔 수 없이 변해 있는 초로의 내 모습을
너는 또다시 너 안에
또 다른 나를 바라보고 서서
넌 표정으로
난 마음으로
또 한 번 말 없이 슬퍼한다
나는 너를
너 또한 나를 바라보며
서로의 변해가는 모습을 알게 돼
서로가 슬퍼지니

내 슬픈 속마음만큼이나
너의 슬픈 표정 나에게 보이지 않도록
거울아 우리 이젠
서로를 바라보지 않기로 하자.

아내의 백발

염색 속에 깊이 감춘
아내의 백발
바람이 들춰 알게 되니
부끄럽고 가슴 아프다

희생으로 한 올 한 올
몰래 심은 파 뿌리
먹구름 사이로 삐쭉 내민
흰 구름 닮았네

까망
한 올 남김 없는 예순 후반
그 삶의 대가로는
너무 빨리 희어 버린 가혹한 세월

사랑보다 많은
고통의 눈물 흘리더니
그 눈물 백발의 수맥水脈이 되어
하얗게 하얗게 피어났네

백발 아내의
하얀 맘만은 바래지 않게
수북이 쌓인 후회 덜어낼 수 있도록
남은 날은 그 하얀 순백으로 따라 살겠네!

나만의 꽃

겨우내 찬바람을 견뎌낸 고목에
삐쭉 솟아 빠끔히 내민 꽃망울 끝엔
올해도 어김없이 봄이 다가와 머물고 있네

때가 되면 그렇게
해묵은 나무도
해마다 새롭게 화사한 꽃을 피워내련만

그처럼 화려하진 않아도
일생에 나만의 꽃은 언제 피게 되어
나 보게 될꼬!

남은 세월
꽃망울이 맺힐 수 있게
나를 다듬어

고목에도 피듯
해묵은 몸으로도 어느 해 한 번쯤
나만의 꽃을 피워보고 나 돌아갔으면.

잠의 침묵沈黙

밤마다
어두운 침대 맡에
잠 대신 찾아든
갖가지 상념想念이 얽혀 있어

난 그저
그 두려운 밤을 벗어나려
긴 호흡에
온갖 근심 실어 보내고

평온한
무념無念의 텃밭에
숙면의 씨앗을 뿌려
달콤한 꿈속을 누벼보려 하나

꿀잠은
긴 긴 밤 내내
침묵에서
미동微動조차 없네.

여권 사진

긴 세월 오는 둥 가는 둥 흘려보내고
강산이 또다시 변해가는
5년 전 어느 날
오랜만에 찾아간 동네 사진관

여기 보세요~오
얼굴 펴시고
좀 더 웃으세요
찰깍!

잠시 후 클로즈업되어 비친
누군지 모를 화면 속 그 할아버지는
그 옛날 어릴 적 시골 할아버지를 닮은
육십 후반 길을 지나는 내 모습이었네

아무리
얼굴 펴고 웃어 봐도
잡티 주름 지워 보고 흰 머릴 가려 봐도
숨길 수 없는 내 모습

매일 보는 거울과는 사뭇 다른
또 다른 나를 발견하고
어느새 쭈굴 영감이 되었나 싶어
가슴 많이 아팠네!

하지만
강산이 변해
훗날 찍을 사진 그 모습보다는
지금 초로初老의 사진을 보면서도

그래도
젊은 날이 있었구먼. 하며
한 번쯤 더
웃을 수 있음에

온데간데없이 남인 듯 변해버린
또한
더는 내 모습이 아닌
초췌한 사진일지라도

세월 흐름에 다시는 끌려가지 않도록
남은 세월 함께 풀칠하여
표지 넘긴 여권 다음 장에
단단히 붙여 주구려

2015.02.10 일본여행을 위한 여권 발급

설 떡국 나이

설마다
떡국 속에
밉상 하나 담겼다

한 술에
주저 없이 따라나선
길들여진 나이

가래떡 길이만큼
길어진 연륜
한 눈금 또 늘어난다

이 세상 나들이로
연년이 포개놓은
해묵은 나이테

세월 덩달아
야금야금
인생을 익혀가니

덧없는
무상無常의 세월이
원망스러울 뿐

첫 수강 受講

문학의 귀머거리
느즈막이
배움터에 왔다

시구詩句의 쭉정이
걸러내고 남은 씨알
아름답게 꿰어

요점 요점
명강의
귀에 담긴 듯하나

뚫렸어도
열리지 않아
흘러버리고 만다

머지않아 귀 열림에
그 즐거움
스스로 더해 가리

3부
움직이는 만물萬物

바다 주름

투망投網

회춘回春

겁 없는 담쟁이

기러기 행군行群

여름 창가

인생은 한 권의 책

물이 흐르듯

속 빈 대나무

화장化粧

달처럼 살라 하네

가는 해 오는 해

동네 목욕탕

동그라미

가마솥 눈물

낙엽의 길

어제와 오늘 사이

가로등

물레방아

계절 다툼

겨울잠 이야기

춘설春雪

시시각각

균형과 조화

머물러 있는 詩

바다 주름

해 질 무렵
해풍海風 슬금 스치니
평온한 바다 위에 잔주름 인다

바다 위에 겹겹
물결 접어 나르며
파도 주름 펼친다

노을 손짓에
일렁이는 고운 풍경
눈먼 파도 따라 노닐다

갯바위에 부서져
조각조각
아쉬움 쏟아내리면

석양에 쫓긴 갈매기 날갯짓 멈춰
슬피 울고도 그 아쉬움
한 모금씩 물어 나르고

끝없는 바다 온통
주름진 얼굴
뱃사공 노 저어 주름을 편다.

투망 投網

갯마을 산기슭에 해송 한 그루
고목이 된 몸 칼바람에 맡기고
진눈깨비를 맞으며
먼바다를 바라보고 섰다

수평선 멀리
끝없는 바다 위에 서너 명의 어부漁夫들
넓은 바다속에서 아주 작은 가난을
건져 올린다

육신에 잔뜩 찌든 고통 허욕 증오
투망 끝에 주렁주렁 묶어서
저 넓은 강물에 던져 버리고
둥글게 펼쳐진 그물 속 가득할 희망을
슬금슬금 당겨본다

텅 비어 한없이 여유로운
때 묻지 않은 어부 마음속의 만월滿月
투망에 걸려 욕심껏 끌어 올린다

용서도 사랑도 가득한 만선滿船
양보와 베풂으로 충만해지면
이 모두가 진정한 행복의 씨앗이다.

회춘 回春

다정한 친구처럼
상쾌한 가을 아침이 조용히 불러
뒷동산에 오르란다

맑은 미소로 그대를 반기며
동산 둘레길을 돌고
줄줄이 놓인 운동기구에 매달려
물구나무서서 세상을 바라보니
어느 한편 거꾸로 걸린 액자에
가을을 담아낸 그림 한 폭이
눈앞에 또렷이 그려진다

가을 나무에 새순이 돋고
갈색 잔디밭은 새싹이 푸릇 솟아
다시 푸르게 보인 것은
몸은 분명 아니지만
마음만은 새봄처럼 그렇게
틀림없는 회춘임에 은근히 기분 좋아라

등골에 송골송골 맺힌 땀방울은 해님이 걷어가고
비타민D를 햇살에 실어 내리며
뼈에 좋은 초가을 보약도
한 첩 가져가서 먹으란다.

2014.10.05
뒷동산에서

겁 없는 담쟁이

담벼락 이파리
낙엽 져 뒹굴면
앙상한 덩굴 서로를 보듬고
겨울 추위에 움츠려 있다

계절 찾은 봄바람
담쟁이 살결 스치니
깨 벗은 알몸
부끄럼은 아는지

살갗 속 옷장 열어
새 옷 꺼내 입고는
가다 멈춘 담벼락을
계속 타고 오른다

어딘 줄도 모르고
긴 팔 뻗어 더듬더듬
줄기줄기 겁 없이
높은 구치소 담을 넘는다.

기러기 행군行群

잔잔한 바다
수평선 위에
햇살 벗은 붉은 노을 멈춘다

하늘길 따라
줄지어
길 떠난 기러기

"어미 찾아 고향 가는 길"이라고
그리움 두 줄

날갯짓에
노을빛 휘저어
고운 글 새겨 날면

해풍 호통에 솟구친
파도 줄줄이
물결 실어 나르고

물결은
찰랑찰랑 춤추며
환영 퍼레이드를 펼친다.

여름 창가

된더위 그리고 열대야 열기에
활짝 열린 창문으로
입추 처서 지나간 지 오랜
때늦은 여름 더위는
하룻밤 새
창 너머로 성큼 다가선
또 다른 계절에
그 지긋지긋한 폭염 쫓겨나가고

간혹
그 창문으로 넘나드는 싸늘한 바람이
여름 창문을 살금살금
조심스레 닫으면
닫힌 문틈으로
두 계절 다투는 소리가 귓전에 들려와도
열대야에 붙들려 돌아오지 못한 설친 잠들을
오랜만에 불러 모은다.

인생은 한 권의 책

책 속의 희로애락
인생 삶을 닮았어도
책장처럼 쉬이
삶의 하루를 넘기고 싶진 않으나

흥미 없는 쪽
그리고
우울한 삶의 하루는
미련 없이 넘기고 싶어 한다

넘긴 책장에 손때가 묻듯
인생 삶에 연륜이 쌓이면
한 권의 책이 덮이듯
인생 삶도 덮이나

책은 남아
또 다른 익힘으로 생生을 이어가고
인생은 이름을 남겨
영원한 생을 이어간다.

2019.12.02.

물이 흐르듯

흐르는 물은
흘러갈 길 험하다 탓하지 않고
바윗돌 걸림돌은 비켜서 가고
웅덩이 채워서 타고 흐르며
두 갈래 길 나뉘고 합쳐도 보고
맑은 물 흙탕물 서로 만나서
낭떠러지 폭포를 넘다 지치면
가로막힌 둑에서 멈춰 쉬면서
열어주면 열린 만큼 수문을 뚫고
도랑 타고 굽은 길 유유히 돌아
멈춰야 할 바다까지 도도히 흘러
파도 위에 갈라놓은 뱃길을 날며
한가롭게 노니는 갈매기 따라
지혜롭게 흐르는 그런 물처럼
우리 그렇게 살아갔으면
여유로운 마음으로 물이 흐르듯.

2013. 3. 1.
회갑 맞는 아내에게

속 빈 대나무

일 년 자라 우뚝
거만하게 서서
속 빈 줄 모르고
겉이 곧다 하여

허리 휜 고목에
젊은 뚝심 과시하며
감히
허리 펴라 호통친다

지나던
샛바람 나무람에
참견 말라
사그락사그락 속삭이니

먹구름은
돌풍을 깨워
가소로운 대나무
단번에

굽힐 줄 모르는
허리를 휘어버린다.

화장 化粧

이름 모를 화가들이
매일 아침
화실에서 못다 그린 그림을

지하철 안 화실에
서서
앉아서

승객
곁눈질
갤러리 삼아

손놀림 바삐
동그란 손거울 안의 밑그림에
덧칠하며

오직 자기만을 닮은
나름 최고의
아름다운 자화상을 그려낸다.

달처럼 살라 하네

어둠 속에 찬란히 반짝이는
밤하늘 은하수 별똥별빛을
손톱 달 넘어와 따 담아 가고
조각달 넘어와 따 담아 가서
나날이 조금씩 모자람 채워 만든 보름달
넉넉함 그 여유로
동녘에 깔린 어둠 슬금슬금 걷어내고
둥근 얼굴 내밀어
우리 사는 세상에 동그란 빛을 건넨다
그 채움 다시금 한 줌 남김없이
이슬 맺힌 늦은 밤을 지새워가며
몇 날 며칠 제 몸 깎아
밝은 빛 고루고루 세상에 나눠주고
텅 비어 야윈 보름달은 조각달 되어
왔던 길 서산으로 되돌아가면
달 없는 밤중에 수많은 별은
이리저리 반짝반짝
가고 없는 둥근달을 찾는다
이 세상 사람 중 나눔 모른 이들에게
달처럼 나누며 살라고 별들은 속삭인다.

가는 해 오는 해

~셋! 둘! 하나!
때~앵~~~
마지막 카운트와 첫 타종
보신각 종소리
해마다 같은 시간 흘려듣게 됨에도
해를 더 할수록 빠르게 다가온
끝 그리고 시작을 알리는 타종의 시각

이때쯤엔
지나왔던 먼 길 돌아도 보고
남은 길 바라도 보지만
아쉬움만 남기고 흘러 사라진
과거의 시간과
세월이 깎아내고 아직 남은
미래의 시간이

회상回想 그리고 상상想像들로
가는 해 오는 해 사이를 오가며
머릿속을 혼란스럽게 한다.

2017.1.1. 00:00

동네 목욕탕

토요일 오후
일주일 쌓인 스트레스와 피로함
이 모두 따끈한 물에 풀어버리고
풀리지 않은 피로는
휴게실에서 마저 풀고 일어나
이리저리 둘러보면
목욕탕 안 사람들이 온통 바뀌어
또 다른 사람들
물장난치며 시끄럽게도 떠들어대던
동네 꼬마 녀석들
머리에 수건 두르고 싸우나 안에서 뜀뛰기 하며
부지런히 땀을 빼던 배 나온 사람
온탕 냉탕을 정신없이 넘나들던
장애물 넘기 동네 아마추어 대표선수
갈비뼈 앙상한 할아버지 등
시뻘겋게 밀어대던 손주 뻘 녀석
그런 낯익은 사람들 모두 돌아가 보이지 않네

스트레스와 피로 최선을 다해 풀고 갔겠지
친근한 동네 목욕탕에서

동그라미

잔
잔
한
호수에
빗방울 담아
크고 작은 동그라미
그려 두고도 동그라미 안
작은
또 다른 동그라미 그려 담는다
멀리서 가까이 가까이서 멀―리
동그라미들 겹겹 퍼져 오가며
수많은 동그라미 부딪쳐 얽혀도
동그라미 그대로 펼쳐 나간다
어디론가 멀리 저 멀리
동그라미 멈춰 설
그 끝을 향해.

가마솥 눈물

가
슴
에
품은 대로
많음도 적음도 투정 없이 아울러

장작 불꽃의 송곳 같은 아림에도
미동微動 없이 버텨내며 묵묵히 기다려 익혀낸
구수한 꽁보리밥 그 냄새가 무쇠 뚜껑을 거뜬히
들고 김 따라 빠져날 때쯤 비로소 가마솥은 그 틈새로
고통스러운 눈물 아닌 고통 참아 얻어낸 그 결실에
감동의 눈물만을 주르르 쏟아 낸다.

낙엽의 길

단풍들어 고울 땐
새색시 적
꼭 빼닮았다던 아낙네

단풍
낙엽 되어 떨어지니
빗자루는 무얼 쓸려 드는고

그대로 두어도
바람 불면 바람 따라
외로이 돌아갈걸

그대 갈 길도 그와 같이
외롭고 쓸쓸한
정처 없는 길이건만

낙엽 쓸고 돌아서면
홀연히
그대 마음 허전하지 않을까?

어제와 오늘 사이

어제 불던 바람
쉬지 않고
입춘인 오늘도 계속하여 분다

어제와
오늘 사이
두 계절이 바뀌며

어제 바람은 어쩜 봄바람을
오늘 바람은 겨울바람을
조금씩은 닮은

훈훈하면서도
쌀쌀한
갈팡질팡 부는 바람

겨울바람일까?
봄바람일까?
두 계절을 넘나든 헛갈린 바람

가로등

교차로 에워싸며 모여선 가로등
한가한 낮 시간 서로를 바라보고 서서
봄볕에 스르르 졸다가

노을 다가와 선잠을 깨우면
아스라이 깔린 어둠 속에
개나리 연노란
꽃봉오리 하나 터트린다

가로등 꽃 활짝 핀
아름답지만 외로운 그 꽃길에
밤새 내린 비 차창 윈도우 브러쉬가
양손 흔들며 반기고 갈 뿐
멈춰 서는 이 하나 없네

수줍어 밤에 핀 야생화夜生花
이른 아침 먼동이 트면
꽃잎 접어 노곤함 풀고
봄꽃 닮은 미소로
오늘 밤 그곳에 다시 피겠지

물레방아

겨울에 묶인 물레방아
봄 입김 살랑 불어
꽁꽁 언
얼음 사슬을 풀어준다

첫 바퀴 돌려보며
굳은 몸 풀어보고
익숙한 물레 빙빙
봄 방아를 찧어댄다

바가지에 한 모금
새봄을 담아
동그라미 빙글 타고 넘어
겨울 떠난 호수에 옮겨 심는다

입 벌려 머금은
소중한 생명수를
자연에 다시 되돌려주고
또다시 차례를 기다리며

겨울 없는 계절을
한가롭게 돌며
물 알 방울방울
잔잔한 호수에 연거푸 쏟는다.

계절 다툼

하얀 목련
아름답게 피었음에
매화 개나리 덩달아
봄꽃으로 피려 하나
아침저녁은 정녕
겨울 같아서
겨울인지 봄인지
헷갈리는 두 계절 다툼에
피다 만 꽃봉오리
펼칠지 말지 망설인다

해님도
따스한 봄볕 내려주며
봄을 전하려 하나
해마다 이맘때쯤
어디선가
겨울 닮은 세찬 바람 불어와
설익어 나약한 초봄을 밀쳐내며
아직도
꽃샘추위는 겨울이려 하네.

겨울잠 이야기

봄이 오는 소리에
긴 겨울잠에서 깨어
반쯤 뜬 눈 껌뻑이며
하품하던 개구리

겨우내 못다 쉰
가쁜 숨 몰아쉬며
저린 다리 뻗어
기지개 켜고 일어나

양지에 하나둘 모여앉아
꽃샘추위 또 올까도 걱정하면서
지루했던 겨울 얘기
흥보는 듯하네.

춘설 春雪

봄 냄새 물씬 풍긴
4월의 봄 그 앞엔
긴 잃은 겨울이 아직도 머물며
화사한 꽃잎 위에
눈가루 뿌려 댄 춘설은
온통 하얗게
푸른 봄을 덮는다

꽃샘추위 불러내어
오는 봄 가로막는
철모른 겨울 아직도 머물다
따스한 햇살 그리고
봄바람에 들킨 춘설은
남은 겨울 걷어내고
슬그머니 사라진다.

시시각각 時時刻刻

그다지 복잡하지 않은
토요일 아침
출근길 지하철 의자에 앉아
내 시선이 출입문을 기대고
샌들이 높아 더 높이 보인
한 여인을 바라보게 되었네
그도 잠시
몇 역을 지날 시간
감긴 눈을 감고 뜨니
그 여인은 온데간데없고
그 자리엔
키 작은 귀여운 숙녀가 대신
기대어 서 있고
나름의 발길 따라
차 안의 사람들이 온통 변해 있으니
오가는 역을 따라
오가는 시간 따라 세상이 변하듯
그처럼 나도
오늘이라는 하루를 따라서
내일이라는 미래를 좇아서
쉴 새 없이 지금도
시시각각 조금씩 조금씩 변해가고 있네.

균형과 조화

파란 하늘엔
하얀
뭉게구름이 흘러가야 아름답고

잔잔함보다
갯바위에 부서지는
하얀 파도가 있어야 바다 같듯

마음속엔
진실한 사랑 담겨 있어야
행복하고

사랑은
포근한 미소를 담아야
더욱 달콤하게 익는다.

머물러 있는 詩

들추지 않아
아직 머물러 있는
이곳저곳
눈에 띈 만물이 모두 詩이다

이 순간도 시는
주변을 무수히 맴돌며
詩人 따라
세상 밖으로 나오고 싶어 한다

새들도 사계절 내내
아름다운 노래로
오지 않은 시인을 불러대며
시인의 날개 타고 더 높은 飛上을 꿈꾼다

시인 눈길
시인 발길
아직 닿지 않은 그곳
언제쯤 시인되어 다가가 볼까

4부
채울 수 없는 빈자리

또 다른 이별
바늘구멍
기다림
어미 풀
거미줄
우리 그런 사랑이었네
하―트
특별한 선물

또 다른 이별

2014년 2월 남북 이산가족의 만남
기다렸던 60년 그리웠던 60년
구순 언니와의 만남도
한 살 때 헤어진 아버지와의 만남도
구급차에 절실함을 실은 그런 만남도
형제자매와의 만남 그리고
이런저런 또 다른 만남도
그런 만남의 기쁨으로
눈물에 젖은 웃음들이 입가에 맴돌기도 전
그렇게 오랜 세월 흘리고 남겨둔 눈물을
마주 보고 닦아주며
기쁜 눈물과 슬픈 눈물로 엉켜버린
그 눈물 채 훔쳐내기도 바삐 또 이별이라니
어쩔 수 없는 이별의 슬픈 모습
가슴에 절절히 남아
두고두고 가슴 아플 또 다른 이별이기에
울지 말라던 그 말에 더욱 눈물이 나고
살아 또다시 만나자는 기약 없는 약속이
가슴을 친다

바로 곁에 두고도 함께 갈 수 없는 이별 실은 버스
안과 밖 사이를 가로막은 유리창이
남북의 철책선을 빼닮아 서로가 애처롭다
이젠 울어도 울어도 눈물은 말라 없기에
목맨 통곡 소리만 눈물을 대신하고
기뻐도 슬퍼도 눈물이 없으니
오늘 슬퍼 흘려야 할 이별의 눈물은 어찌할꼬
또 다른 이별 그 영원함으로 돌아가서
또다시 흘려야 할
슬픈 눈물이 어디에 또 있다던가.

2014.02.28.
14.02.20~26 남북 이산가족1, 2차 만남

바늘구멍

코끼리 낙타가
바늘구멍을 낀다 해도
그 구멍은
누구나 망설이는
고통의 굴레
믿음의 한계를 넘어선
선택의 영역
도전자만이
가능성을 찾을 수 있고
피땀으로 얻을 수 있는
희망의 공간
그러나 지금껏
실타래 실만
바늘귀를 넘나드는 곳.

기다림

세월호世越號도 안타까운지
사랑하는 아이들을 돌려보내려
힘겹게 뱃머리를 들고 서서 사나흘을 버티다
어서 가라 아이들아 그 외침 멈추고는
뱃머리마저 지쳐 사라져버린
진도 팽목항 바다 저 멀리에
보이지 않는 아이들을 안타까이 부르며
이 세상 사람 눈물이 모두 고인 슬픈 바다를
헤엄여
헤엄쳐 다가올까
구조선을 타고 올까
밤낮으로 애타게 기다린 지 네댓새
지금껏 너무 많은 시간이 흘렀건만
오늘도 어제처럼
생존 소식 들리지 않는 석양 노을엔
갈매기 떼 울음소리만 아이들의 통곡으로
애달프고 처량하게 들려오고
굽이굽이 덤벼드는 너울 파도는
아파 멍든 가슴을 또다시
쉴 새 없이 내리친다.

2014.04.21.

어미 풀

이름 모를 씨앗 하나 풀숲에 자라
꽃차례 솟으니 강아지풀이었네
방방 줄줄이 생명을 담아 넣고
아이들 추울까 봐 긴 털 꽂아 덮었네

씨앗 자라 누렇게 씨방을 채워
어미 풀 허리 휘어 힘에 겨울쯤
하늬바람 샛바람에 무등을 태워
정든 집 저 멀리 시집보내네

씨방은 빈방 되어 방마다 허전하고
푸르던 잎줄기 시들어 초라해도
메말라 야윈 몸으로 꼿꼿이 서서
행여 많은 자식 중 하나라도 찾아올까

먼 들만 바라보며 기다리는 어미 풀
찬바람에 시달리며 기다리는 어미 풀
만남이 없음에 때 되어 돌아가나
그들은 겨울 털고 일어나 어미를 찾을지도….

거미줄

곁에 있던
사랑이
떠나지 않게
거미줄에 꽁꽁
그 임을
매달았어야 했네

임은 가고 없는
내 곁엔
미련만 남아
그 모습
아련히
떠오를 때면

외로움 달래려
바라본
낡은 거미줄엔
그리움만
줄줄이
남아 걸렸네.

우리 그런 사랑이었네

어느 해
봄 같은 따뜻한 여름날
사랑의 새싹은 싱그럽게 돋아났고
둘은 화사한 봄꽃이 되어
여러 해 겨울
눈꽃은 피고 져도
우린 내내 지지 않고
묵묵히 함께 견디며
서로의 향기를 품어
둘만의 아름다운 사랑의 꽃봉오리
십 수 년을 만들었지
이젠 뒤돌아 마주보며
무척이나 아름다울 그런 소중한 얘기들을
소곤소곤 두고두고 나눌 때쯤
어느새 곁에서 몰래
내 향기 빠져나가
있어도 없는 듯하니
덩달아 남은 향기마저
지금은 맡아볼 수 없게 되었네

쉬지 않고
많은 날은 날 찾아와 곁을 스치겠지만
그이 향기 곁에 없어 정녕 그리웁겠네
둘이서 만든 꽃봉오리
그 아름다움이야 영원 하련만
그 꽃에서 풍기는
시들어버린 둘만의 마른 꽃 향기
어찌 향기롭다 말할 수 있을까

하—트

노릇노릇 익어간
숯불 위 생고기
그 구수함을 나르던
뿌연 연기 속에
마주 보고 앉은 그이
쌈 위에 이런저런
겹겹 행복들을 포개어
한 잔 술에
즐거움 더하니
나를 향한
그이 눈동자에 그려진
또렷한 하—트
순진한 마음으로
조심스레
훔쳐 오고 싶었네.

특별한 선물

보면 볼수록
좋아라
그대 얼굴 바라보듯

만져도
기뻐라
그대 만나 안기듯

몰래
살포시 배어든
목도리 사랑이어라

온기 포근히
가슴 깊이 스며들고는
닳고 헤져 버려진다 해도

그대 향한
고마움이야
어찌 변하리

5부
손주 사랑 이야기

아기 신발
동침
첫돌
돌잡이 효도孝道
행복한 약속
할머니가 좋아
손자의 할아버지 사랑

아기 신발

흙마루
디딤돌 위에
신발 한 켤레 더
놓였네

손자를 닮은 듯
어미도 닮은 듯
귀엽고 깜찍한
여름 샌들을

첫돌 지난 손자 녀석
시골
외가外家에
처음 신고 와서는

외할아버지 고무신 옆에
보일락 말락
나란히
가지런히도 벗어 놓았네.

2012.08.10.
외손자 오던 날

동침 同寢

언제 물어도 지금껏
할아버지는 안 좋고 할머니만 좋다던
장난기 많은 다섯 살배기 손자 녀석
오늘은 할아버지와 같이 잘까 물음에
할머니와 열 번만 자고
할아버지와 한 번 자겠다며 약속하더니
금 새 잠이 들어 살며시
그 사랑 안아 할아버지 침대에 눕힌다

쌔근쌔근 코를 골며 꿀잠 자는 소리
쉽사리 잠이 들 리 없는
예민한 할아버지의 설친 잠을 대신하고
이리저리 뒤척이며 차버린 이불
추울세라 끌어당겨
잠 깰세라 살며시 덮어주던 이불
동짓달 긴 긴 밤 할아버지 등은 시렸지만
손자와의 행복한 동침이었다.

2018.12.21.(금)
둘째 외손자 예준이와

첫돌

어디서 오는지 너는
우렁찬 울음소리로 이 세상에 왔음을 알리고
우린 설렘과 기쁨으로 너를 맞았다
고추 달고 오느라 지쳤느냐
너는 소록소록 잠이 들고
우린 그 숨소리마다 행복이 스몄지
옹알이로 너스레를 떨며 웃는 너의 그 모습에
가족사랑 먹으며 일 년의 세월이 녹아들었음에도
무릎이 닳도록 기어 다니기만 하던 너
그렇게 너는 일어서지도 못한 채
오늘 첫돌을 맞는다

이 기쁨을 함께하고
너를 축하하기 위해 모인 축하객들
네가 돌잡이 펜을 들고 흔드는 순간
그렇게 되리라는 기대에 모두는 환호했지

이젠 건강하게만 자라다오! 그리고
부모님께 효도하고 남을 먼저 배려하는 그런
자비로운 외손자가 되기를 기원하고

이 세상에서 인증받은 이름 석 자
명예롭게 남길 수 있는 그런
자랑스러운 외손자였으면 한단다
외할아버지 할머니는…

2012.3.17.(토)
큰 외손자 첫 돌 맞이(인천 센트럴 타워 11층 앙셀)

돌잡이 효도 孝道

이 세상 찾아와 첫돌 맞는
사랑스런 둘째 외손자(예준이) 돌 잔칫날
사회자가
장래 무엇이 되었으면 좋겠냐는 물음에
망설임 없이
예준이 엄마와 아빠는 같은 꿈을 전한다
판사 判事라는 말을 들었는지
첫 돌부터 효도라도 하듯
앞에 놓인 돌잡이 중
판사봉을 냉큼 집어 들고 흔든다
그 꿈 이루라는 축하객들의 우렁찬 함성
그리고 박수 소리가
가슴속 깊이 기쁨으로 안겨 온다

돌잡이가 무엇이었든
손자 예준 이의 바람대로
바라는 꿈 반드시 이루길 간절히 기원하며
훗날 그 꿈 이뤄낸 그 기쁨 또한
외할아버지 살았거든
가슴속에 한 아름 또다시 안겨주렴!

2015.10.03
돌잔치

행복한 약속

따르릉~
집 전화벨이 울리기 시작한다
며칠 전 외가에 와 있는 다섯 살배기 외손자 녀석
어른스럽게도 전화를 받는다
여보세요! 할아버지세요?
그래, 전화 참 잘 받네!
사랑스런 생각이 들어 유준이 먹고 싶은 것 뭐야?
과자요!
그래 어떤 과자?
닭 다리요!
뭐라고?
닭 다리요!
닭 다리 과자도 있나 싶었으나 알았다며
퇴근길에 슈퍼마켓에 들러
닭 다리 과자라고 있느냐 물으니
점원인 듯 지그시 웃으며, 네!
얼마예요? 천삼백 원이요!

까만 비닐봉지에 담아 들고 잠시 볼일이 있어
다른 곳에 들렀다가 기뻐할 손자를 생각하며
집에 돌아와 보니 벌써 잠자리에 들어
닭 다리 과자를 든 외할아버지를 꿈속에서 기다리고
있었다
머리맡에 두고 다음 날 아침 일찍 출근 후
퇴근하고 돌아온 나에게
고맙습니다.라고 인사하려 했는데
할아버지가 안 계셨어요!
그래, 맛있게 먹었어?
네! 반 정도 먹고 남겨두었어요. 라며, 고맙습니다
인사하는 손자가 예쁘지 않을 수 없다
천삼백 원으로
천삼백만 원어치의 행복을 얻은 것 같은
행복한 약속으로 큰 기쁨을 얻었다.

2015.07.27(월)

할머니가 좋아

저녁 무렵
집 대문을 열고 계단을 오르면서
갑자기 손자들이 보고 싶어진다

오늘이 토요일이라 혹 와 있을 수도 있다는 생각에
가만히 바깥 현관문을 열고 들어서니 예감대로
자그마한 샌들 두 켤레가 가지런히 놓여있어
그들의 얼굴 보듯 반가웠다

오! 왔구나! 마음이 설레는 순간
두 손자가 닫힌 문틈으로 빠끔히 내다보고 서서
문이 열리기도 전 할아버지 다녀오셨냐며
인사를 한다

오냐! 인사도 잘하네, 칭찬하고
보고 싶던 만큼 사랑을 나누다
잠잘 시간이 다가와
(예준아)할아버지하고 같이 자겠냐고 물으니

싫어요!
왜?
할아버지 안 좋아
할머니가 좋아!

2017.7.15.

손자의 할아버지 사랑

초복初伏 날
닭백숙을 먹고 있는 손자에게 다가가
맛있어? 라고 물으니
아무 말 없이 고개를 끄덕이며

서툰 젓가락 사이에
고기 한 점 사랑 한 움큼
어설피 끼운 고사리손이
할아버지 입을 향한다

말로 못 전하는
손자(예준)의 할아버지 사랑이
어린 마음속에 차곡차곡
싹트고 있음을 직감하며

손자의 귀여운 재롱에 사랑을 주고
설익어 더 달콤한
그런
손자의 사랑을 받는다.

2018.7.17
초복 날 손자 예준이와

6부
미완未完의 인생人生

인생길 신호등
귀로歸路
길동무
늘 푸른 마음으로
이 세상에 머문 동안
달 같은 인생
산 까치의 삶
행복이란
풋사과 같은 내 인생
청춘의 꽃
다툼
그 미소의 의미
내 마음의 청소
디딤돌 인생길
전세 대란

인생길 신호등

인생길엔 어찌
화살같은 직진 신호등만 있을까?

회전, 유턴 신호등이 있었다면
좌·우측 이리저리 돌아본 후
유턴하여 새 삶의 길로 되돌아가
신세계에서 새롭게 살아보고 싶지만
그런 신호등이 없어
인생 되돌릴 수 없음이 아쉬울 뿐

노랑 그리고
빨간 정지신호 등이라도 있었다면
먼 길 홀로 흘러와 쉼터에 멈춰
잠시라도 쉬어가고 싶지만
인생 외길엔
이런 신호등 없으니 힘겨울 뿐

만약 인생길에
이런저런 신호등이 있었다면
내 인생 지금쯤
어느 신호등 앞에 서성이고 있을까

귀로 歸路

바람 따라 흐르는 구름은
그 가는 길을 가끔
돌아보기도 돌아오기도 하지만
세월 따라 흐르는 인생은
그 가는 길을 한 발짝
돌아올 줄도 돌아볼 줄도 몰라
어쩜
졸졸 흐르는 시냇물과도 같은데
그래도 시냇물은 물 줄기줄기
멈춰 쉬려 하는 곳 강江이고자 하나
인생길엔 그 어디에
멈춰 쉴 곳 하나 없어
그저 쉼 없이
덧없는 세월만 따라가다
닳아 너덜대는 신발마저
강어귀 뱃머리에 벗어두고
빈손 여미어
홀로 말없이 왔던 길을
홀로 외로이 돌아갈 뿐.

길동무

늦은 가을 길을 지나다
문득 생각나 멈춰선 곳에
푸름 잃고 메마른

나름
날 닮은
일그러진 단풍잎을 보았네

아직
낙엽 져 떠나지 않고 있음은
날 기다렸음일까?

곱기만 했던 너
이젠
떠날 준비 되었거든 날 따르렴

세월 따라
홀로 왔다
돌아가는 길

외로움 달래는
너와 난
함께 가는 길동무!

늘 푸른 마음으로

세월 따라
인생은
검은 머리 하얗게
늙어 가는데

푸른 잎은 단풍으로
가을 노을과 함께 물들어
더욱 곱기만 한
해 저문 저녁

우린
그런
고운 단풍은 아닐지라도
차라리

마음이라도
늘
푸른
나뭇잎이었으면 좋겠네!

이 세상에 머문 동안

복잡한 갓길에 쉼터 있어 잠시 들렀네
다시 돌아갈 이곳에 미련 두고 왔을까만
허욕 부리다 빈손으로 돌아간 수많은 이들
머문 동안 한없는 고생이어라

그 무엇도 이 세상에 내 것 하나 없어
가져갈 것 같아 움켜쥔 돈도 재물도 다 버리고
쥔 것 없이 양손 펴고 가벼웁게 돌아갔네
때 되어 그들처럼 그렇게 돌아가리

왔다 간 흔적으로 영원히 남아 떠돌
이 세상에 홀로 남을 이름들
부질없는 탐욕으로
씻을 수 없이 부패 된 그런 이름 아닌

명예는 없더라도
더럽힘 없는
그런
이름 석 자쯤 남겨두고 갔으면!

달 같은 인생

어느 날 서산西山에 어린 손톱 달이 아장아장
서툰 걸음으로 한 발짝 이 세상에 넘어와서
보일지 말지
그리 밝지 않은 어두운 세상을 삼시 바라보고
왔던 길 다시 넘어 어둠 베고 잠이 들다
노을빛 그 눈부심에 다시 부스스 눈을 뜨고
남은 노을 채 거두기도 전
어제보다 하루 쯤 더 성숙한 모습으로
슬며시 얼굴을 내밀어
또다시 세상 구경나선 아이 달은
아직은 늦은 밤을 떠돌 수 없음에
초저녁만 열네 번을 시간 따라 넘나드니
짙어진 어둠만큼 밝은 빛을 토해내며
둥근 보름달이 동산東山에 떠오른다
그러다 차츰 나약해진 몸 감추려고
세상이 잠든 한밤중에 홀로 조용히 넘어왔다가
머물다 지고 머물다 지더니
어느 날부터인지
어둠 그대로 둔 채 어디론가 사라졌네
그렇듯 때 되어 말없이 사라짐은
어쩜 우리 인생과도 같지 않은가

산 까치의 삶

사다리 한 칸쯤
올라서니
세상 사람들
분주한 삶이 보인다

나뭇가지
군데군데 먹이 잡아 꽂아두고
숨겨둔 곳 찾지 못한
산 까치 먹이 사냥 그런 삶이어라

가진 것도 넘치는 듯하나
어디에다 더 채우려
버거운 짐 짊어지고
흐른 땀 닦아낼 새 없이

바둥대는
그 힘겨운 모습들이
영락없는 산 까치를 닮아
너무도 안타깝네.

행복이란

삶이 어렵고 힘들더라도 참고 견디면
언젠가는 행복한 날이 오겠지
형편이 좀 나아지면 행복해지겠지
누구나 그런 행복을 기다리며 산다

가까이에 있을 것만 같은 행복
멀리에 꼭 있을 것 같은 행복을 참으로
기다리며 산다
진정 행복이 나를 기다리기나 할까?

지금
들을 수만 있어도
흥겨운 얘기 듣고 웃는 웃음이
정녕 행복이 아니겠나

지금
볼 수만 있어도
사랑하는 사람 바라볼 수 있음에
진정 행복이지 않은가

지금
말할 수만 있어도 행복하다는 말할 수 있어
이 또한 행복

걸쭉한 막걸리 한 뚝배기 쭈―욱 나눠 마시고
쩝쩝 입맛 다시며
턱밑에 하얗게 흘린 모습 바라보고 터져 나온
텁텁한 웃음은 행복이 아니라고 생각하는가

웃음과 즐거움이
행복이란 것을 몰라
수많은 행복을 곁에 두고 살면서도
행복을 놓치며 산다

많이 가져야 가득 채워져야만
행복할 수 있을 거라는 생각
적고 작게 가져도
행복은 자신이 만들 수 있다는 것

그렇듯 행복은 마음속에서 스스로 만든다는
아주 평범한 진리를 알았고
행복의 의미를 새삼 깨달았기에
우리 남은 세월 매일매일 행복과 함께 살았으면

풋사과 같은 내 인생

봄이 오면
한파를 견뎌낸
겨울나무에
새싹 같은
그런
새로운 기다림들이
눈꽃 대신
봄꽃으로 피어
알찬 열매를 맺는
그런 계절은
내게도 찾아오지만
꽃 피고 지고
육십여 년을 피고 져도
아직도
익혀내지 못한
풋사과 같은 인생임에
가을이 찾아와도
해마다
아쉬움만 더해 간다.

청춘의 꽃

봄을
가득 머금은 산골
그리고 들길 여기저기
해마다 꽃피고 시들어도
새봄에 새 꽃 되어
변함없는 아름다움으로
또다시 피련만

청춘의 꽃은
한번 피었다 시들면
여러 계절이 바뀌어도
새 꽃 한 번 피워내지 못하고
날로 시듦만 더해 가니
그 꽃이 어쩜
인생 꽃이 아니겠는가!

다툼

승객들이 우르르 밀려 오가는 퇴근길
지하철 통로 한 노점상 앞
목덜미 핏줄이 손가락만큼 솟고
얼굴은 홍당무처럼 빨갛도록 열을 내며
갖은 욕설 섞어
큰 소리로 상대를 제압하는 50대 초반 남성
열심히 삿대질해대며
조금도 굽히지 않고
왜 욕설을 하냐며 맞선 60대 초반의 여성
그 둘 중 누가 무엇을 얼마나 잘했고
누가 얼마만큼 잘못했기에
그것을 기어이 따져 이기려
그토록 고성을 지르며 서로는 다투는 걸까
얄미운 세월에 밀려
멈춰 쉬지도 못한 인생길
그 숨 가쁜 길목에 서서
인연 아닌 악연으로 우연히 만난 그들의
웬 부질없는 다툼인가
높은 데서 내려다보면
아주 하찮은 일일 것을!

그 미소의 의미

출근길 지하철 안
맞은편 의자에 오십 초쯤의 여인이
두 눈을 지그시 감고
무거운 마음의 심을 내려놓은 듯
긴 한숨 뒤 흘러나온
아주 편안한 미소를 입가에 그리며
한동안 지우질 않아
그녀를 바라보며
그녀의 연륜에 쌓인 수많은 기억 중에
이 시간 무슨 생각을 떠올리며
그런 미소를 지을까를
그 연륜을 지나왔으니
조금은 알 것도 같아
가만히 눈을 감고
나름의 같은 생각으로
누구나 힘겹게
한평생 짊어지고 온 부질없는 허욕 중

혹 어젯밤
일등 복권 당첨이 꿈으로 사라지는
그런 허무함의 미소일까를
똑같진 않지만
그녀 닮은 나의 미소에 담아
살며시 그녀에게 건네 본다.

내 마음의 청소

담배꽁초
휴지를 버린
그 누구의 때 묻은 양심
그리고
마음속에 차고 넘칠
시기 질투
이 몹쓸 생각
그런 쓰레기들을 쓸어 담아
쓰레기통에 함께
버릴 수 있었으면 좋겠네
텅 빈 마음
편안한 생각
그런 여유로움 속에서
올바른 생각만 하며
깨끗이 살아갈 수 있도록

디딤돌 인생길

가혹한 세월에 떠밀린 머지않은 노년
그 주름 깊이만큼
멀리 건너와 멈춰선
징검다리 디딤돌 뒤로
세월이 덮친 나이 길이가
디딤돌과 나란히
저 멀리 아득히 보이고
되돌아갈 수 없는
지나온 인생길 위에 길 먼지 수북
아쉬움 가득히 쌓인 그 길은
보잘것없는 인생
허무한 길이었네
해마다 그 허무
조금씩은 더 쌓여 갈지라도
가까이 다가와 버티고 선
남은 디딤돌 그 끝을 향해
해지고 새로이 뜨면
또 하나의 디딤돌 인생길에
다시 건너 머물며
짧은 인생 긴 얘기들을 디딤돌마다
주저리주저리 이어 새기리.

전세 대란

땅 한 뼘 모래 한 삽
내 몫으로 가진 것이 있다면
허름한 초가라도 집을 지어
온기야 있든 없든
이 한 몸 어찌 되든
딸린 처자 꽁꽁 언 발 녹여주고
미지근한 아랫목에 누일 수 있어 좋으련만
그리 못한 이 마음 많이도 서럽네

문틈 사이로 스며든 바람에
콧등이야 시리든 말든
초가집 월세방이
아파트 전세방만 못하다 해도
하룻밤 찬 이슬 피해
월세방에서나 전세방에서나
눈 꼭 감고 새날 되어 일어나면
전세방에서 일어난 자와 무엇이 다르랴!

단잠 든 시간만은
가진 자와 못 가진 자 조금도 다를 리 없네

7부
사계四季 스케치

春
|
초봄
봄 친구
봄비
진달래꽃
봄 손님
심술궂은 봄바람
봄버들
봄이 좋아
꽃밭에 솟은 봄
5월의 봄

夏
|
석양의 행로
여름 하모니
길고 긴 장마
여름밤 불청객
여름 그곳
열대야
무르익은 여름
얄미운 생각
여름 창문

秋
|
가을 나그네
아기단풍
고추잠자리
또 다른 단풍
만추
월악산의 가을

冬
|
겨울 연습
하얀 비탈길
하얀 냉동고冷凍庫
미친 겨울
첫눈
서리꽃
겨울 패딩
겨울 그림

초봄

따스한 봄바람이
겨울 코트를 흔들어대며
꽃샘추위 뒤에 숨은
남은 겨울을 벗겨내면

봄이 오는 길목에
꽃망울 같은 그런
새로운 기다림 들이
겨울 스쳐 간 그 자리에

꽃 껍질 밀쳐내고
곱디고운 봄꽃
아름답게 펼쳐놓고
내음 그윽이

봄 향기 뿜어대며
내일이면
가까이 다가설
완연한 봄을 기다린다.

봄 친구

봄바람이
울타리 그늘에 남은
늦겨울
그림자를 걷어내다

꽃봉오리에 숨은 봄을
툭 건드리니
목련
목젖을 내밀며

은은한 봄 향기로
자줏빛 봄을 펼쳐놓으면
덩달아
봄 오는 길목 언덕에

개나리 줄줄이 서서
긴 팔 뻗어
노―란
봄꽃 미소를 건넨다.

봄비

주룩
주르륵
계절만큼이나
나약한 봄비는
줄기줄기
지루한 겨울을
함께 실어 내리며
매화나무 가지
가지에
은구슬 옥구슬
방울방울 매달려
꽃망울 귓전에
살며시
봄이 옴을 전하고
남은 추위
끌어안고

뚝 뚝 뚝
가지를 떠난
봄비는
조용히
땅속으로 스민다.

진달래꽃

초봄
슬금슬금
겨울 눈 거두어

벚나무 가지가지에
그 하얌
흐드러지게 뿌리면

목마른 가지에
물 길어
봄 실어 오르며

가까이엔 수줍어
먼 산에 숨어 핀
진달래꽃

아지랑이
아른아른
그 부끄럼 가림에도

수줍음
여전히
붉게도 탄다.

봄 손님

봄바람
간지럼에
개나리꽃 활짝 피니
벌떼들은
여기저기
봄나들이 한창이고

봄소식에
진달래도
꽃망울을 터트리니
노랑나비
너울너울
향기 찾아 먼 길 오네.

심술궂은 봄바람

봄바람
심술궂은 돌풍으로
하얀 목련
긴 꽃봉오리 휘감아 돈다

사나흘
쉼 없이 흔들어대니
채 피어보기도 전
낙화 될까 두렵다

은은한 향기 스며든
못 다 펼친 꽃잎
그 고운 꽃 결 사이로
살금살금 스치기만 해도 좋을걸

꽃도 향기도
외면한
바보스런 봄바람
이제 그만 멈추었으면.

　　2012.4.3
　　19년 만의 눈발 그리고 강풍 불던 날

봄버들

가지가지 낚싯줄
연못에 드리우고
조용조용
새봄을 낚는다

하늘을 향한 부끄럼이 뭘까
온종일
연못만 내려다보며
생수를 길어 오른다

낚싯줄 줄줄이
여린 봄
앳된 푸름
그런 미래가 열리면

산들산들
봄바람 다가와
봄 아가들 오락가락
그네를 태운다.

봄이 좋아

봄이 좋아 새싹들은
봄에만 돋아나네
가을 되면 단풍들고 메말라
낙엽 될 줄 알면서도

봄이 좋아 봄꽃들은
봄에만 피려 하네
한 계절 잠시 피고 시들어
낙화 될 줄 알면서도

여름 폭염 가을 이별
겨울 떨림보다도
기다림으로 가슴 설렌
포근한 봄

그런 봄이 좋아
봄이 되면 주저 없이
불쑥불쑥 대자연으로
고개를 내민다.

꽃밭에 솟은 봄

슬쩍
스쳐 감에도
立春임을 안다

녹다 남은
설 풀린 흙을
쿡쿡

새싹
송곳 끝으로
몇 날을 뚫어

고개 들고
긴 한숨
꽃밭 가득 토해내며

地下 옆집
이 방 저 방
동네 친구 깨우면

기다림
설렘 모두 흙 들춰
새봄으로 솟는다.

5월의 봄

봄이 오나 싶을 땐
따뜻한 봄바람 대신
겨울 같은
찬바람만 불어오더니

5월이 되어
이젠
완연한 봄인가 하였으나

여름 같은 무더위가
철모르고 찾아오니
다섯 손가락 부채질로
이 봄을 맞아야 하네.

석양의 행로行路

붉게 달군 태양
석양으로 다가와
햇살 벗어 깔아둔 노을 두르고
수평선에 걸터앉아

황혼에 물든 바다
어둠 토해 깔린 여울
남김없이 끌어안고
일몰 속에 알몸을 감춘다

이른 아침 동녘 하늘
바다 끝자락 아스라이
모락모락 피어오른 물안개 사이로
먼동을 뚫고

어둠 덮어 감춰둔
낯익은 얼굴 슬그머니 내밀어
또다시 오늘을 달굴
여름 햇살을 밀어 올린다.

여름 하모니

중부는 폭우 남부는 폭염
반쪽 장마가 보름쯤 계속되어
햇빛이 그리운 중부의 오늘
오랜만에 태양이 먹구름을 뚫고
아침 햇살을 쏟아 낸다

긴 장마에 지친 매미들
비에 젖은 날개를 털며
울어 볼 날 돌아갈 날이
얼마 남지 않음을 아는지
장마가 아직도 남았음에

하늘에 비구름 또 몰려오기 전
힘차게
맴맴 씌오츠 찌이이이~~
소낙비 심술엔 조용히 기다리다
빗줄기 잠시라도 멈추기만 하면

음악회 같은
여름 손님들의 협주곡 연주 소리가
가냘프고 때론 애처롭게
올여름 처음 여기저기
햇볕 든 나무숲 속에 울려 퍼진다.

길고 긴 장마

해마다
잊지 않고 찾아온
여름철 단골손님

올해 지루하리만큼 긴 장마에
산천을 할퀴어버린 순간의 물 폭탄
그리고 지구를 흔들 듯한 돌풍

빨랫줄에 걸린
젖은 바지 젖은 양말 마를 날 없고
펼친 우산 접힐 날 없다

이성理性 잃은 돌풍은
어른, 아이 우산을 훌렁훌렁 뒤집고
아낙네들 치마폭 훌렁훌렁 들춘다

삼십칠일 계속되어
햇빛이 많이도 그리울 쯤
오랜만에 햇살을 쏟아 낸 해님마저도

일주일 후
또다시 내린 남은 장마 뒤에
폭염을 준비하려 숨어버린다.

　　2013. 07. 30.

여름밤 불청객

2018년 7월 여름
안방이든 마루든 열대야가 가득하여
자다 말고 여기저기 문지방을 넘나들다
선풍기도 지쳐
후덥지근한 바람만 뿜어대는 자정
어쩔 수 없는 열대야를 껴안고
새 아침을 맞는다

출근길 지하철 안
참을 수 없이 벌어진 입으로
쉴 새 없는 하품 연거푸 해대니
다른 사람들도 하는 걸 보면
어젯밤 그들도
밤잠을 설치는
지긋지긋한 열대야를 만났었나 보다

18.07.17.
7호선 지하철 안에서/ 15일 폭염 10일째 열대야.

여름 그곳

더위를 빨아낸
정자나무 그늘
그곳엔
시원함이 있어 좋고

계곡 폭포수
물보라는
더위를 걸러내어 시원하니
그곳 역시 좋아라

파도 소리 날 부르는
바닷가 저 멀리
그곳에도
가고픈 여름날이여!

열대야

2016년 8월 여름
놋쇠도 녹여버릴 폭염으로
스무날을 이어 달군
지긋지긋한 열대야

침상 가득 드리워진
두툼한 스무 겹 열대야를 깔고 누워
눈꺼풀로 어둠 가리고
밤길 따라 설친 잠을 찾아 나선다

열대야에 뽀송뽀송 열린 땀방울
그 방울마다 설익은 잠을 꿰어
줄줄이 단잠으로 익혀버리고 싶지만
잠은 쉽사리 따라나서질 않는다

시골길 멍하니 바라보고 서서
언제 올지 모를 버스를 기다리듯
기약 없는 잠을 기다리다
몰래 찾아든 어설픈 잠

폭염에 녹을 듯 말 듯 한 살얼음 같은 꿈을 꾸다
단 한 번의 뒤척임에 망설임 없이 사라져
꿈마저 조각나 흩어지니
낚싯바늘에 걸렸다 한순간에 놓쳐버린 물고기다

밤마다 그렇게 허망함이 반복되어
또다시 열대야의
그 지옥 같은 현실로 되돌아가곤 한다

아~
변함없는 열대야는
언제나 그러했듯
이 밤도 어제처럼 토막잠을 재우려나!

2016.8.10.
이십 일째 열대야

무르익은 여름

식을 줄 모르는 열기와
지구를 삶을 기세의 폭염으로
말랑말랑 무르익어버린 여름

며칠 전
입추가 스쳤음에도
아직도 한 발짝 물러서지 않는다

흘러내린 땀방울
날개 비벼 닦아내며
여름 노래 흥겨웠던 합창 소리마저

이젠
돌아가야 할 시간이 다가오기에
어렴풋이

매미마다 토해내는
아쉬움에 젖은 울음소리가
나뭇가지 사이로 애처롭게 들려온다.

얄미운 생각

후덥지근한 바람이라도
행여
흘러내린 비지땀을 식혀줄까
여름 내내

활짝 열어두었던 창문을 닫고
돌아서는 순간 뒤통수에
창틈으로 새어든
느낌 싸늘한 바람 스친다

태산도 밀어낼 듯한
기세등등한 바람도
불볕더위 그리고 열대야
그 열기의 두려움엔

숨죽이고 숨었다가
철 지나 슬며시
찬바람 앞세워 다가선 바람이
문득 얄미운 생각이 든다.

여름 창문

지긋지긋한 된더위
그리고
열대야가 넘나들며
몹시도 괴롭히던 그 열기 대신

싸늘한 바람이 스민
열린 창문을
이젠
닫으려 하니

폭염 열대야 가득한
그 흔적 그대로
아직도 구석구석
사라지지 않고 남아 있어

한겨울 시린 바람이
열린 창문을 넘나든다 해도
쉽사리 닫고 싶지 않은
18년 9월의 여름 창문이여!

가을 나그네

살랑살랑 실바람 타고
푸른 하늘 날며
오르락
내리락
가을 찾는 나그네

휘청이는
코스모스 가을 위에
가만가만 내려와
꽃잎 붙잡고
날개 접고 앉아서

가을이 울긋불긋
아름답게 익어가면
온몸 빨갛게
또 다른 가을을 물들이는
가을 나그네 고추잠자리.

아기단풍

이글거리는
가마솥 여름
그 된더위에도
마냥
푸르기만 하던
단풍잎이

나약한 가을볕에
푸름도
싱그러움도
속절없이
하나하나
붉게도 탄다.

고추잠자리

빨갛게 익은 가을을 묻혀
푸른 하늘을 나는 고추잠자리
맑고 고운 가을을 맴돈다

쉼터 찾아
울타리 말뚝 끝에 가을을 올려놓고
날개 접어 쉬려 하나

동심童心은 그를 향해
조심스레 다가가
그 가을을 잡으려 하니

흘겨보던 잠자리
빨간 가을을 들고 재빨리
쉼터를 떠난다.

또 다른 단풍

아주 고운
단풍잎 사이로
저녁노을 스며들면 얼마나 고울까
그런 생각으로

노을이 담길
그 빈자리만 남긴 가을 그림을
산 정상에 걸어두고
단풍길 돌아 내려와

단풍 얘기 안주 삼아
뚝배기 한 사발에
상상의 등산길을 또다시
오르내려도

노을은

아직

그 빈자리에

찾아들지 않았네.

만추晩秋

우수수
떨어진 낙엽 위에
또 다른 낙엽이

또 하나의
아름다운 가을을
포개고 있고

또 다른
가을 씨앗을 잉태한
코스모스는

가냘픈
만삭의 몸을 휘청이며
내년에 태어날

가을 아가들을
바람에
하나하나 실어 보내며

올가을을
조금씩
덜어내고 있다.

월악산 가을

월악산 가을 이곳에도 단풍이 있어 좋다
때가 되면 주저 없이
먼 산골 구석구석 소리 없이 찾아들고

산비탈 가파른 언덕
긴 목 뻗어 힘겹게 버티고 선 싸리 잎끝에도
두려움 없이 끼어든다

월악산 가을 이곳에도 나눔이 있어 좋다
때가 되면 어김없이
산모퉁이 밭두렁에 덟은 땡감 붉게 익힌

홍시의 달콤함은 산 까치를 불러대고
가시 돋친 밤송이 갈색 입 쩍 벌려
탱클 익힌 알밤 토해 다람쥐를 불러댄다

감히
월악산 여길 빼고
가을 비경을 말할 수는 없네.

2019.11.01.
월악산에서

겨울 연습

어제 불던 바람보다
오늘
코끝이 더
차가운 것은

찬바람이
입동 가까이에
한파寒波를 불러내어
영하零下에 수은주 묶어놓고

때 이른
한겨울 추위를
가을에 만들어 보는
겨울 연습 중이란다.

하얀 비탈길

비닐 포장마차 좁은 문틈 비집고
칼바람 타고 날아든 함박눈 안주 삼아
막걸리 한 잔 술에 마른 목을 축이고
턱밑 닦고 빈 잔 내려놓을 때쯤

까맣게 깔린 어둠 그 위에
하얗게 포갠 눈꽃들로
까만 밤이 온통 하얗네

포차 함께 온 세 친구 모두
검정 구두 걸음걸음 하얀 발자국
하얀 손 맞잡아 당기고 끌며
미끄러져 친구 마음 다치지 않게
하얀 비탈길 조심조심 디디며 간다.

2018.1.8.
영광식당에서 -용,태,정-

하얀 냉동고 冷凍庫

술렁술렁 끌려가는 모습이
애처롭고 힘겨워 보인다

허허벌판 숙소에서
송곳 날 세운 서릿발 베고
전동열차 길게 누워
떨며 밤을 지샌 지하철 역사의
눈 덮인 이른 아침

아직
햇살이 걷어내지 못한
남은 어둠 밀어내며
두툼한 흰 외투 걸친 그대로
꽁꽁 언 하얀 냉동고 여덟 칸을 매달고 달린다

얼어붙은 바퀴 떼어내며
길게 뻗친 하얀 철길 따라
눈 속을 숨 가쁘게 질주한다

손등 비벼가며 떨림으로 기다릴
다음 역 승객을 향해.

2014.12.19.
아침 장암역에서(영하13도)

미친 겨울

휴지 둘둘 말아 꼭꼭 막아둔 창문 틈새로
황소바람 칼바람 여전히 새어든 간이사무실

2016년 1월
소한小寒도 조용히 가고 추위 없는 겨울에
대한大寒 가까이 다가오더니
난데없는 북극 제트기류 핑계 대며
대한이 소한 한파 대신하려 든다

중부지방 한파 특보 영하15도
체감온도 25도에 불어대는 강풍으로
살까지 도려낼 듯한 참으로 실감 나는 겨울
난로에 손발 얹고 얼굴 비벼대도
언 손발 여전히 차갑게 시려 온다

가습기 대신 뿌린 물은 살얼음 되어
벽면 틈으로 여기저기 흘러드는 찬 공기에
녹일 힘마저 잃어버린 미력한 난로 열기로
구석구석 그리고 난로 가까이에도
온종일 녹지 않은 살얼음 그대로다.

2016.1.19.
내일모레 대한을 앞둔 맹추위

첫눈

입춘 지나
봄 준비로
푸르름 들썩인 데

겨울 손님
하늘 하얗게
함박눈 내려온다

겨울답지 않다던 얘길
누구에게 엿들었나
잃을 뻔한 기회 놓치지 않고

자존심 뒤로 살며시
지각의 미안함 하얀 미소로
눈꽃 속에 담아 뿌린다

겨울 꼬리 간신히 잡고
이제야 보낸 눈다운 눈으로
열 바퀴씩 두 번 굴려

앞 못 본 눈사람
둥근 안경 끼워주고
꼭 다문 입가에 미소도 그려야지!

서리꽃

울타리 그늘
그 음지陰地에
칼끝 예리한 서리꽃 피고

처마 끝엔
주렁주렁
송곳고드름 열리면

이른 아침
해님
입맞춤 애교에

겨울은
감동의 눈물
뚝 뚝 떨구며

추위를
한 꺼풀
벗겨 내린다.

겨울 패딩

하룻날
코끝에 스친 향기
그 은은한 봄 내음에
겨울을 감싸 안은
긴 패딩 단추를 푼다

따스한 봄이
그렇게
겨울을 벗겨내면
사람들도
겨울옷을 벗으려 하나

새싹만큼 나약한
어린 봄은
두터운
겨울을 쉽사리
벗겨내지 못한다.

겨울 그림

풍요로운 가을 풍경을
아름답게 그리기 위해
봄부터 준비한
연초록 잎새들

새록새록
넓고 크게 펼쳐가며
여름을 물들인
진초록 도화지에

가을 고운 그림을 수채화로
색색
화려하게 그려
넓은 대자연에 펼쳐놓으니

하늘에서 뿌린
단 하나의
하얀 물감으로 겨울을 그려
오색 가을을 하얗게 덮는다.

8부
또래끼리

나의 초교 나의 동창생
가을 산행
내 친구
우리 오래오래
레일바이크의 잔상
동창 송년회
소중한 인연
소꿉놀이
하늘공원
동네 친구
먼저 가시구려
꾀복쟁이 친구

나의 초교 나의 동창생

구름도 비켜 가던 높디높은 신선神仙바위
이젠 많이 야위었고 키 역시 작아져도
동심童心이 보고 싶어 매일매일 홀로
텅 빈 외로운 운동장만 내려다보고 섰네!

멱 감던 송 냇가 노천탕
팬티 벗기 바삐 뛰어들어 물 한 모금 꼴깍!
하늘이 노래지고 입술이 파래져도
멋쩍게 웃는 웃음 너도나도 즐거웠고
더위에 늘어진 풋고추 보일락 말락 줄어들던
그 차디찬 맑은 물은 변함없이 흐르겠지

만국기 팔랑팔랑 운동회 날임을 알리고
엿장수 가위 소리 정문에서 요란할 때쯤
청군 백군 우렁찬 함성 하늘을 찔렀고
지금도 그 소리 귓전에 맴돌며
우릴 부르는 듯하여 그립기만 하여라

운동장 앞에 줄줄이 선 오동나무 열매 따서
뒤통수 맞추고 도망치던 그 망나니들
후문 양쪽 줄줄이 눈처럼 흩날린 하얀 벚꽃 맞으며

신선바위 팔봉산 봄 소풍을 기억하는 아이들은
우리 모교 동창이 분명하리라
36회 동창들도 그러했으니

우리 학교 역사를 가지마다 담아 맨 그 나무들
그런 추억 차곡차곡 가슴에 새겨 담은 그 꼬마들
지금쯤은 고목古木이 되어있고
할아버지 할머니가 되었어도 보고픔은 여전하겠네!

좁아져 버린 운동장에 아스라이 남겨진
조그마한 우리들의 타이어 표 검정 고무신 발자국들
교실마다 손때 묻은 우리들의 흔적들을
지금도 그 모습 그대로를 소중히 간직한 채
올해(2020년도) 91세 고령에도 또렷이 기억하며
이젠 허리 굽고 힘겨워 낮아져 버린
풍양초교 우리들의 모교는

그래도 한 세기 모아둔 어린 동창마다 마다의
값진 그때 그 모습의 기억들을 되돌려 주려
언제 어느 때고 찾아오길 하염없이 기다리네.

가을 산행

하늘은 높이 푸르고
단풍잎 고와 좋은 날
바람이
가을을 흔들어 날린
단풍잎 타고
산자락 창공에 무수히 풀어놓은
청정공기 흠뻑 빨아
힘겨움
단숨에 밀어내며
발걸음 가벼이
남한산성 정상에 멈춰
솔 향기 드리워진
가을 그늘에 둘러앉아
고인 땀방울
생수에 타서 마시며

목마름 말고도
우정의 갈증을 풀어낼 수 있는
벗들과의 산행이
그래서 좋다.

2013.10.20.(일)
동창들과 남한산성 가을 산행
(고영대,공병관,김영우,김옥빈,유유만,이정주,신경희 외1,황재하,(박현섭))

내 친구

아— 벌써
또 일 년
작년엔 금년보다 젊더니만
내년엔 금년보다 덜 젊겠지

지난 시간이 그런
지울 수 없는 흔적들을 남겨두기에
세월 따라 변함이 더 오기 전
멈춤 없는 세월이 더 가기 전

지나치면 되돌아올 수 없는 쉼터를 두고
오직 가야 할 그 길만을 따라
친구 당신은 왜 그냥 그렇게
세월 따라 쉼 없이 가려 하는가

친구여!
올해도 작년처럼
우리만의 임시 쉼터에 잠시 멈춰
송년의 아쉬움을 달래고 가세.

2016.12.10.
병신년을 보내며

우리 오래오래

옛 젊음 잔주름에 녹아들고
마음만 젊어 있는 우리
칠십에 걸친
높고 가파른 육십 끝 멀리
세월 따라 우리 이곳까지 와서도
넘치는 술잔 깊이 스민 새벽 술이
즐겁기만 하랴

독毒 담긴 술잔 속에
우리 우정 빠져들까 두렵다

건강이 오래오래
우릴 외면하지 않도록
이젠 언제 어디서나
각 일 병에 혹 아쉬움 남거든
딱 한 병만 더
고르기 잔에 나눠 비우고
빈 잔은 더는 채우지 않기로 하세

2018.02.10.(토) 01:30
-용.태.정-

레일바이크의 잔상

m당 6원씩 5Km 레일에 깔아놓고
부산 평택 짝짜꿍 63호에
여수 의정부 짝짜꿍 1호에 다고
광명 짝꿍만 단둘이 앉아
용화정거장 레일을 출발하여
양다리 피스톤 오르락내리락
두 발로 힘차게 페달을 밟아
연료 대신 근육으로 쇠바퀴를 굴리며
들이받고 쳐다보고
받치고 돌아보고
마주 보며 껄껄껄 입 닫힐 새도 없이
모자란 웃음 채워 담아
달콤한 행복을 건져 올리며
무면허 난폭운전 60분 동안
페달 지치도록 즐거움 돌려
궁촌 종점에 도착해 서니
만보기도 덤으로
목표량 종점에 다가가 있네.

2018.11.10.(토)
삼척

동창 송년회

술잔 속에 아쉬움 담아 들고
위하여를 힘차게 외쳤던
그 함성이
귓전에 아직도 맴도는데

우리는 또다시
일 년이란 세월을 더 짊어지고
저무는 뒤안길 한편
노을 진 교차로에 다가와 머물며

세월이 깎아낸 시간을 되돌려보고
넉넉지도 않은 남음에서
일 년 만큼 또 줄어 쌓인
인생 이야기들을 추억하며

동창이라는 인연으로
올해도 우리
한나절만이라도
송년의 아쉬움 함께 했으면

2015.12.09.
(12.12. 토 정주 식당)

소중한 인연

반세기가 넘도록 초교 동창이라는
단단한 인연의 매듭이 풀리기야 할까만
잠시라도 잊힐까 두렵다
살다보면 잊다가도 문득문득 떠올라
그들을 생각하게 하는 것은
동창으로 엮어놓은 우리만의
바로 그 소중한 인연 때문은 아닐는지
하여 서로가 서로를 너무도 잘 알기에
이해 폭도 그만큼 더 깊고 넓으며
체면치레 경계심 흉허물 또한 없는
동창이란 인연이 얼마나 편한 관계인가
비록 비켜 갈 줄 모르는 세월에 이끌려
우리 지금 여기까지 왔어도
눈가에 잔주름 하나
흰머리 한두 개쯤 가리고 보면

어릴 적 분 대신 흙먼지 바르던 얼굴
그 곱상한 모습 그대로는 아닐지라도
만나면 만날수록 세월이 가면 갈수록
해묵어 곰삭은 우정이 가슴에 배어 묻어난
변함없는 동창들의 정겨운 그 모습들
예나 지금이나 닮아 있어
언제나 좋을 수밖에 없네

2012.12.10

소꿉놀이

얌?
얌 얌 먹고 가버리고 머슴과 마님 네 명씩
꾀복쟁이 친구들의 소꿉놀이 시작되면서
어린이들의 동요가 흘러나온다
짝사랑/ 정/ 천년을 빌려준다면…
95점 이상이면 이 세상에서 가장 고귀하고 어여쁜
보너스를 탄다
그 보너스를 타기 위해 야단법석을 떠는 걸 보니
하나뿐인 목숨도 건 듯했다
94점의 아쉬운 탄성은 하늘을 찌르고
95, 100점엔 약속이라도 하듯
와— 괴성을 함께 지르며
우렁찬 박수 속에 보너스를 받기 위한 실랑이로
몸부림을 치는 꼴이 우습기만 하다
때론 머슴들이 마님을 들쳐 매고 보너스를 받아라
난리도 친다

어린 날 유치원에서 듣던 뽀뽀뽀로
많은 아쉬움 추억으로 남기고
혹
기회가 또다시 돌아오길
그들 모두는 기다릴지도

2017.05.27.(토)
성민 문병 후 수유 먹자골목 학예회 무대에서
(1번 옥주/ 2번 정자/ 3번 해빈/ 4번 덕호)

하늘공원

290여 나무계단 정상
높고 파란 가을 하늘 대신
까만 먹구름에
소낙비 머금은 하늘공원 갈대숲

샛바람 간지럼에 휘청이던
가냘픈 일년생 갈대
칠십이 한 눈금 남은 해묵은 이에게
키 재기 하자 하여

어이없고 가소로워
둘레길 돌아내려
방어회에 술잔 줄줄이
노래방을 향한 디딤돌을 놓아

원로 작곡가 섭 그리고 함께한 동창들
오랜 외로움 걷어내고
긴 여운이 남을
즐겁고 소중한 시간 기억 속에 담았네.

2018.10.28.(일)
가을 나들이(명호, 해순, 정주, 영대, 유만, 열우, 상현, 재하, 기주,
병관, 현섭, 얌순, 용자, 재임, 복선, 광욱, 정갑)

동네 친구

꾀복쟁이 친구는 아니어도
객지 친구로의 그때 그 첫 만남
그날이 아니었음
그들 모른 지금 그리고 내일을
누구와 함께 지낼까?

이젠 그 만남이
마냥 그리워질 만큼의 세월 흐르니
눈 감으면 꿈속에서
눈 뜨면 만남에서 즐겁고 다정하게
우리 우정 쌓여 감에

그 인연 다 한 그날까지
길거리 우정 가득 담긴
병만이 찔끔이 그 애칭 그대로
오래오래
동네 친구들로 남았으면 좋겠네,

19.11.24.
손주네 식당에서

먼저 가시구려

나이 칠십이 머리끝이 닿도록
지금껏
벗겨내지 못한 이 굴레를
이젠 벗어 던지고 싶다

같은 해에 잠시
이 세상 구경 왔다
먼저 떠난 친구의
마지막 가는 외로운 모습도
바라보지 못하고

먼 곳에서
잘 가란 한마디
귓전에 들릴지 말지
옷깃 여미어 외쳐보는
왠지 쓸쓸한 서글픔

친구여!
올 때 홀로 왔으니 외로워 말고
친구들이 전해준 하얀 조화를 베고
예순여덟 해
몹쓸 고통 시달림 없는 곳에
먼저가 편히 쉬시게, 부디 잘 가시게.

18.10.17
이두홍 친구

꾀복쟁이 친구

같은 띠를 두르고
한 곳에 탯줄이 묻힌
8, 9, 10, 11, 12월생
월마다 줄줄이 고귀한 인연들

꾀 벗은 우정 어린 기억 속에 남기고
이별 아닌 이별로 헤어진 우리
회갑 년에 다시 만나
그 매듭 이어가고 있네

멀리 떼어놓아도 우리
가까이 다가설 수밖에 없는 우정의 끈적임
무엇으로 두드려도 깨지지 않은
단단히 다져진 우정

그런 친구들 말고 누구와
속마음 들추어 진심을 꺼내줄 수 있으리
우리의 옛 추억 얘기하며
고향에 묻힌 아름다운 기억들을 꺼내 웃으리

안타까이
한 친구 별이 되어 밤하늘에 반짝이고
남겨진 다섯 개의 보배 같은 친구들
각자의 삶터에서 값진 일로 반짝인다

어깨동무 풀지 말고 나란히
여정을 향한 걸음걸음 다정히
우리 우정과 인연의 영혼은
끝까지 아름다워야 하기에

서로의 영원한 이별 멀리 두고
우정 가까이 남은 세월 함께 하다
누구도
그 누구의 슬픔 모르게

친구여
또래 친구여
나의 꾀복 친구들이여!
같이 왔으니 함께 가야 하지 않겠나?

9부
길들여진 일상日常

출근길 아침
공동 운명체
두 번의 뜀박질
하루의 시작
보신각종

출근길 아침

버스에서 내려
지하철을 타고 가다 보면 갈아타는 곳

오가는 사람들로 가득 찬 통로엔
두 역에서 많은 사람이 밀려와 마주치며
매일 출근하는 사람들이 만나
각자 갈아탈 곳을 향해 비켜 가는 길
한두 번쯤 낯익은 그런 사람 보일만도 한데
아침마다 낯선 바쁜 사람들
그들 틈새 빈 바닥 디뎌가지만
부딪치고 차이고 밟고 밟혀도
뒤돌아 쳐다볼 새 없이 그저
종종걸음 걸으며 제 갈 길만 간다

갈아타고 목적지가 다가올 때쯤
빈자리 찾아 앉으며
흐뭇한 미소로 피곤함을 달랜 이런 날들이
벌써 십여 년이 지난 지금도 역마다
지하철 힘찬 출발 소리 오늘도 여전한데
지친 내 발걸음은 날이 갈수록 마냥 무겁기는 하지만
나와 같은 삶을 사는 사람들을 매일 아침
출근길에 볼 수 있어서 아직도
하루하루가 즐겁기만 하다.

공동 운명체

시간
세월
그리고 인생은
떼어낼 수 없는 유기체적 존재

아득히 먼
긴 여정의 인생길도
이젠
눈 감고 뜨면 어느덧 일 년

부지런한 초침
어느새
긴 세월 돌려가며
인생 일흔을 밀고 왔네

구름
강풍 스쳐 가도
그 끌림 마다하고
쉬엄쉬엄 걷는데

고속철에 초침 달고
번갯불에 세월 익혀
쉼 없이
인생 끌고 달린다

서로는 서로를
쫓아야만 되는
인생길 함께한
공동 운명체

시간은 세월을 밀고
세월은 인생을 끌며
촌음寸陰 다퉈
세상 밖으로 끌어내고 있다.

두 번의 뜀박질

오늘 아침도
버스, 지하철 정류장을 향해 뛴다
정류장에 체 도착하기도 전
타야 할 버스, 지하철이 멈춰 서기 때문

비좁은 틈으로 발만을 겨우 올려놓은
복잡한 버스 안에서
먼저 탄 사람과 미닥질이 시작되어
십 여분쯤 시달려 내린 전철역 정류장에서
시간에 쫓겨 두 번째의 뜀박질이 시작된다

출발하려는 전철을 타기 위해
육교계단을 미끄러지듯 오르내리며
전철 출입문 앞에 도착해 타려는 순간 출입문이 닫힌 채
출발 신호음을 내며 갈 길 바쁜 나를 두고
전철의 바퀴들은 서서히 구르기 시작한다

제기랄 뛰지나 말걸
가쁜 숨을 한숨으로 내뿜으며 매일은 아닐지라도
출근길 아침은 누구나 다 늦지 않기 위한
두 번의 뜀박질로 몸에 밴 출근 전쟁을 실감한다.

하루의 시작

오늘도 어김없는
전철 빽빽한 이른 아침
새로운 날 새로운 하루를 따라
익숙해진 역 오르내리며
나름의 길든 곳을 찾아가는
생존을 위한 일상들

가혹한 세월이어도 인내하며
그들 각각의 머릿속에 메모리 된
내게 없는 경험 아님 경력
그들에게서 그들의 대화가 무엇이었든
나에게 소중할 그들의 지혜를
귀를 열어 얻고자 하나

입들은 서로에게 조용하려
전철 안은 침묵하고
덜커덩 덜컹
또 다른 역을 향해 굴러간
힘겨운 바퀴 소리만
요란히도 귓속을 파고든다.

보신각종

오랜 세월
종각에 갇힌 자유
종루에 묶인 고통 말고도

새해 첫날
타종의 아픔 서른세 번의 아림에
신음 대신 울림으로 다독이며

묵묵히 恨을 참아
종 안에 간직한 소망
진동에 실어 은은하게 전한다

종각 앞에
새 소망 찾는
발걸음 소리 들리면

모든 소망 이루라는
간절한 종소리
소원 비는 이들 마음속에 담아주고

그 울림 메아리 되어
한 소리 두 소리
또다시 과거 속으로 사라진다.

10부
아직도 젖어 있는 향수鄕愁

하얀 꽃 모자
추억의 돌다리
올벼 쌀 방아
애향愛鄕의 노래
내 고향 추석 달
고향 집

하얀 꽃 모자

해마다 벚꽃 필 계절이 되면
육십 년 전 나의 봄 벗이 생각난다
초교 교문 양쪽 줄줄이
하얀 꽃잎이 쏟아져 내릴 때면
눈송이 대신 꽃눈 맞으며
탁 트인 가슴 벅찬 즐거움으로
아름드리 벚나무가 씌워준
하얀 꽃 모자를 쓰고 터널을 끼어 나와
우린 봄 소풍을 갔다
그런 벚꽃 피고 지고 많은 세월 흘렀어도
해마다 벚꽃을 바라보면 그런 날이 그리워진다
오랜 옛날이어도 마음만은 늙지 않고
그때 모습 여전히
내 맘 깊숙이 어린이로 남았으나
하얗게 센 머리 털모자는
꽃 모자를 대신하고
그런 나를 닮은 벚나무
해묵어 고목이 된 몸으로 힘겹게 서서
우리가 봄 소풍 때 즐겨 썼던 하얀 꽃 모자
이젠 손주들에게 씌워 주고 있겠지

2017.04.11. 우이동

추억의 돌다리

시골 동네 오가는
시냇가 돌다리
비만 오면 넘실넘실
무릎 위로 찰랑찰랑

둘둘 말아 올린
모시 바짓가랑이
닿을 듯
젖을 듯

초딩 책보자기
어깨에 둘러멘 채
검정 고무신
양손에 벗어 쥐고

종 종 걸음으로
거센 물살 가르며
차오른 돌다리를
조심조심 건넌다.

올벼 쌀 방아

추석이 다가오면
쩌 말린 올벼를 도구(절구)통에 넣고
도굿(절구)대를 들어 힘차게
올개(벼)쌀 방아를 찧는 어머니
반쯤 드러낸 올개 쌀 속살
언제쯤 벗겨질까 들여다보는 나를
다칠세라 밀쳐내며 쿵딱 쿵 찧어 놓고
채질하려 챙이(키) 가지러 간 사이
조금만 기다려도
모시 바지 주머니 양쪽에
불룩불룩 담아주실 올개 쌀을
군침 고여 참지 못해
한 주먹 움켜쥐고
집 뒤에 숨어서
오른손 왼손 번갈아 껍데기 훌훌 불어
입이 찢어져라 털어 넣고

고소한 가을을 혼자 몰래
잘금잘금 씹었던 옛 생각이
추석이 다가오니
또 그 절구통 방앗간에
어머니 옛 모습과 함께 새록새록
그리움이 묻어 밴다.

2013.09.18
추석 전날

애향愛鄕의 노래

붉게 달군 낙조落照 위에
덮인 구름 걷어내고
고운 노을빛 술잔에 남아

한 잔 들고 브라보
두 잔 들고 차차차
그리운 고향 노래 함께 불러 반길 때쯤

노을 진 꽂지 해변 어둠 찾아내리니
아쉬운 잔 내려놓고
흥겨운 장단 멈추며

이제는
펼친 돗자리를
어둠과 함께 접어야만 하네.

2014.11.9
태안 해변 길 5코스 다녀와서 (14.11.08 애향회 나들이)

내 고향 추석 달

내 고향
천둥산天登山 추석 달이
유난히도 밝은 것은

그리움 따라
마음만 실어 보내곤 하던 고향으로
행여

올 추석엔 찾아올까?
낯설어 헤맬
옛 동구길 밤하늘에

뭉게구름 걷어내고
어둠 슬금슬금 밀어내며
둥글고 밝게 펼쳐놓고

작년처럼 올해도
기약 없는 나를 그렇게
기다리려 함일 거다.

> 2014.09.05.
> 추석날 내 고향을 그리며

고향 집

고향 땅 밟아 본지 십수 년
山川은 옛 그대로여서
예전처럼 반길 줄 알았으나
변해 있는 내 모습 알아보지도 못한다

군데군데 꿰맨 세월
내 체취 맡지 못해
고향을 찾았어도 낯선
타향에 온 것만 같네

육 남매가 서로 당겨 덮던 이불
팔순 엄마 혼자 덮다
덩그러니
아랫목에 홀로 풀 죽어 남아 있고

엄마 나가시고 아직
닫히지 않은 사립문으로
흙먼지만 수북
주인 없는 마루에 날아들었네.

11부
희로애락 표정 도우미

주유소酒有所
한 병만 더
죽순
늦은 귀갓길
숙취熟醉
찻잔

주유소 酒有所

한두 번쯤 다녀간 길 익은 곳에
포장마차 대폿집이 줄지어 서서
희미한 조명 빛이 나를 부르고
텁텁한 탁주 향기 갈 길을 막아
한 잔술 아쉬워 돌아갈 수 없는
거리마다 골목마다 정든 주유소

소주잔 대폿잔을 주유기酒有器 삼아
원-샷에 주유기 맞대기 바빠
제각각 주입구에 가까이 대고
부어라 마셔라 가득 채워라
저장고는 오늘도 쓰릴지 말지
거리마다 골목마다 추억追憶 주유소

주유酒有하고 즐거워 흥얼거리고
괴로워 주유하고 눈물 흘리며
할 말 하고 또 하고 할 말 없으면
동네 주유소 문 닫을 때까지
수십 년 전 얘기도 꺼내 밤새는
거리마다 골목마다 수다數多 주유소.

한 병만 더

병아리 물 먹듯 찔끔찔끔 술 바쁜 찔끔이도 있지만
술자리 애칭이 한 병만 이란 친구도 있다
첫 잔에 채워진 술 들어라! 마셔라! 또 부어라!
오르락내리락 잔 꺾는 손목 관절에 통증이 올 때쯤
약속한 각 일(한)병에 서로의 우정 나눠 마시고
빈 병 확인하고 일어서자고 하면
가벼워진 빈 술잔이 마냥 허전해 보이고
못 다 채운 듯한 아쉬운 유혹이 시작된다

앉아! 내가 누구야! 병만이가 있어!
애칭의 몫을 덤으로 유도하며
딱 한 병만 더하자는 그 한마디에
각 일병의 공감대는 술 시동에 빨려들고
얼굴 불그스레 자세 헝클어지기 직전 모습으로
언제나 그러했듯 망설임 없는 선택의 목소리
아줌마 아!~ 여기 딱 한 병만 더요!!
그 카랑카랑한 목소리에 술 브레이크 파열되어

신병新甁들 밀려들고 헌병들 끌려나간
자정 지난 늦은 밤
술잔 속의 희로애락 술병 속 무수한 얘기들로
새벽닭 운 줄 모른다.

  -용, 태, 정-

죽순 竹筍

삐쭉 솟아
빠끔히
미래의 세상을 바라보는 어린 생명
운명일까?
어미 곁에 꼭꼭 숨을 것이지
자라 보지도 못하고 꺾이어
껍데기 홀렁
끓는 물에 얼마나 뜨거울까
갈기갈기 찢긴 살결
소금 간에 얼마나 쓰라릴까
주막집 주모酒母
한 움큼 사발에 담아
들깻가루 듬뿍 구수함 주물러
그 손맛 고스란히 술상에 올려놓고
주객들의 즐거운 웃음 끌어낸다.

2018.8.25 (토)
(영애)할머니 순대

늦은 귀갓길

술 냄새 역겨워
기다리던 막차마저 떠나고
가로등도 졸고 있는
야심한 밤

내일이 오늘로
다가선 줄 모르고
우겨대던 잘난 얘기들
술자리에 흘려둔 채

휘청인 몸
택시에 올려놓으니
조급한 마음은 서둘러
현관문을 열고 있다.

2018.11.03 (토)
-용, 태, 정-

숙취 熟醉

아침 햇살 창문 두드림에
어둠 슬그머니 일어나 가고
난
용케
눈꺼풀 들고 눈은 떴으나
빙글빙글
천정을 맴도는 소맥燒麥의 율동은
쉽사리 멈추려 하지 않는데
내 맘 모른 초침秒針의
어김없는 출근 재촉에
비몽사몽 마음만 먼저 일어나 가고
천근만근 무거운 몸은
아직도 누임 그대로세.

2014.05.
출근길

찻잔

장작불에
커피 포드 올려놓고
둘만의 진한
깨소금 사랑을 끓인다

따끈한 블랙 잔에
프림 대신
뜰 안
풍경 한 방울 떨구어

그 고움
그이 눈동자에 따 담아 두고
찻잔 휘저어
그려낸 하트

혀끝으로
그 달콤한 사랑
입안 가득 건져 올려
눈빛으로 건넨다

내게 남은 가을 그리고 겨울
이정갑 시집

초판인쇄   2020년 5월 22일
초판발행   2020년 6월 02일

지 은 이   이정갑
펴 낸 이   노용제
펴 낸 곳   정은출판

주   소   서울특별시 중구 창경궁로 1길 29 (3F)
전   화   02-2272-9280
팩   스   02-2277-1350
이메일   rossjw@hanmail.net
ISBN   978-89-5824-411-0 (03810)

값 11,000원